MC Chi Caicai
i cai wo you duo ai ni /

4028072797237
M ocn421371214
10/08/09

3 4028 07279 7237
HARRIS COUNTY PUBLIC LIBRARY

S0-ACS-082

DISCARDS

DISCARDS

猜猜
我有多爱你

图书在版编目(CIP)数据

猜猜我有多爱你／[爱尔兰]麦克布雷尼著；[英]婕朗绘；梅子涵译.
—济南：明天出版社，2008.8
（信谊世界精选图画书）
ISBN 978-7-5332-5809-2
I.猜... II.①麦...②婕...③梅... III.图画故事—英国—现代 IV.I562.85
中国版本图书馆CIP数据核字(2008)第117751号
山东省著作权合同登记号 图字：15-2008-102号

猜猜我有多爱你

文／[爱尔兰]山姆·麦克布雷尼　图／[英]安妮塔·婕朗　翻译／梅子涵
总策划／张杏如　责任编辑／刘蕾
特约编辑／马永杰 黄锡麟 邱德懿 陈素蓁
出版人／刘海栖　出版发行／明天出版社　地址／山东省济南市胜利大街39号
网址／www.tomorrowpub.com　www.sdpress.com.cn
经销／各地新华书店　印刷／深圳中华商务联合印刷有限公司
开本／216×244毫米　16开　印张／2
版次／2008年11月第1版　2008年11月第1次印刷
ISBN 978-7-5332-5809-2　定价／32.80元
本简体字版 © 2008由（台北）上谊文化实业股份有限公司授权出版发行

版权所有　侵权必究

GUESS HOW MUCH I LOVE YOU

Text © 1994 by Sam McBratney

Illustrations © 1994 Anita Jeram

GUESS HOW MUCH I LOVE YOU ™ is a registered trademark
of Walker Books Limited, London

Simplified Chinese © 2008 by Tomorrow Publishing House
in conjunction with Hsinex International Corp.

This edition published by arrangement with Walker Books Limited,
London SE11 5HJ through Bardon-Chinese Media Agency.

All Rights Reserved.

猜猜
我有多爱你

文／[爱尔兰]山姆·麦克布雷尼

图／[英]安妮塔·婕朗

翻译／梅子涵

明天出版社

小栗色兔子该上床睡觉了，
可是他紧紧地抓住
大栗色兔子的长耳朵不放。

他要大兔子
好好听他说。

"猜猜我有多爱你。"他说。

大兔子说：
"喔，这我可猜不出来。"

"这么多。"小兔子说，
他把手臂张开，
开得不能再开。

大兔子的手臂要长得多，
"我爱你有这么多。"
他说。

嗯，这真是很多，
小兔子想。

"我的手
举得有多高
我就有
多爱你。"
小兔子说。

"我的手
举得有多高
我就有
多爱你。"
大兔子说。

这可真高，
小兔子想，
我要是有
那么长的
手臂就好了。

小兔子
又有了一个
好主意，
他倒立起来，
把脚撑在
树干上。

"我爱你
一直到我的
脚趾头。"
他说。

大兔子把
小兔子抱起来，
甩过自己的头顶，
"**我**爱你一直到
你的脚趾头。"

"我**跳**得多高
就有多爱你！"
小兔子笑着
跳上跳下。

"我跳得多高

就有多爱你。"

大兔子也笑着

跳起来，

他跳得这么高，

耳朵都碰到树枝了。

这真是跳得
太棒了，
小兔子想，
我要是能
跳得这么高
就好了。

"我爱你，像这条小路
伸到小河那么远。"
小兔子喊起来。

"我爱你，远到跨过小河，
再翻过山丘。"大兔子说。

这可真远，
小兔子想。

他太困了，
　想不出更多
　　的东西来了。

他望着灌木丛
那边的夜空，

　没有什么比黑沉沉
　　的天空更远了。

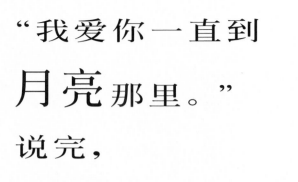

"我爱你一直到
月亮那里。"
说完，
小兔子闭上了眼睛。

"哦，这真是很远，"
大兔子说，
"非常非常的远。"

大兔子把
小兔子放到
用叶子铺成的床上。

他低下头来，
亲了亲小兔子，
对他说晚安。

然后他躺在小兔子的身边，
微笑着轻声地说：
"我爱你一直到月亮那里，
再从月亮上

回到这里来。"

Harris County Public Library
Houston, Texas

10